CHANSONS DOUCES
CHANSONS TENDRES

Direction éditoriale : Guylaine Girard
Direction artistique : Gianni Caccia
Direction de la production : Carole Ouimet

Réalisation des portées musicales : Jean Fitzgerald
Arrangements musicaux, direction des chanteurs,
programmation et enregistrement de la musique : Patrice Dubuc
Interprètes : Monique Fauteux, Julie Leblanc et José Paradis.
Enregistré chez Audio Z en mai 2001.
Prise de son des chanteurs : Martin Boisselle.
Mixage final : Luc Thériault.
Patrice Dubuc tient à remercier Serge Laforest et Gaëtan Gravel,
et toute l'équipe d'Audio Z.

Chansons des pages 12, 13, 56, 57, 74, 75, 76, 77, 78, 79, 80, 81
illustrées par Geneviève Côté.

Chansons des pages 14, 15, 16, 17, 26, 27, 28, 29,
33, 34, 35, 52, 53, 84, 85, 86, 87, 102, 103, 104, 105
illustrées par Normand Cousineau.

Chansons des pages 11, 24, 25, 42, 43, 44, 45, 94, 95, 96, 97
illustrées par Gérard Dubois.

Chansons des pages 20, 21, 38, 39, 40, 41, 58,
59, 60, 61, 69, 70, 71, 82, 83, 106, 107, 108, 109
illustrées par Luc Melanson.

Chansons des pages 18, 19, 36, 37, 54, 55, 62, 63, 64, 65, 72, 73, 91, 92, 93
illustrées par Mylène Pratt.

Chansons des pages 22, 23, 48, 49, 50, 51, 98, 99, 100, 101, 110, 111, 112, 113
illustrées par Michel Rabagliati.

Illustration de couverture : Luc Melanson

Choisies par

HENRIETTE MAJOR

Chansons douces
Chansons tendres

Illustrées par

Geneviève Côté, Normand Cousineau,
Gérard Dubois, Luc Melanson, Mylène Pratt
et Michel Rabagliati

Arrangements musicaux
Patrice Dubuc

FIDES

Deux autres
livres-disques
d'Henriette Major
parus aux
Éditions Fides

Données de catalogage avant publication (Canada)

Vedette principale au titre:

Chansons douces, chansons tendres (ensemble multi-supports)

ISBN 2-7621-2272-4 (livre avec disque compact)

1. Berceuses françaises.

2. Chansons folkloriques françaises.

3. Chansons enfantines.

1. Major, Henriette, 1933-

ML992.C456 2001   782.4215'82   C2001-940883-8

Dépôt légal: 3ᵉ trimestre 2001

Bibliothèque nationale du Québec

Les Éditions Fides remercient le ministère du Patrimoine canadien du soutien qui leur est accordé dans le cadre du Programme d'aide au développement de l'industrie de l'édition. Les Éditions Fides remercient également le Conseil des Arts du Canada et la Société de développement des entreprises culturelles du Québec (SODEC). Les Éditions Fides bénéficient du Programme de crédit d'impôt pour l'édition de livres du Gouvernement du Québec, géré par la SODEC.

Imprimé au Canada

Présentation

Chanter une berceuse, c'est faire un voyage au pays de son enfance. Quel plaisir que d'endormir ou d'apaiser un enfant en lui fredonnant une chanson douce et tendre! Les enfants eux-mêmes aiment répéter ces airs touchants. Si je me reporte à ma propre enfance, ce sont des chansons qui évoquent la chaise berçante ou la balançoire.

Certaines chansons de ce recueil sont des berceuses aux mélodies simples et aux paroles naïves qui semblent avoir été improvisées par un parent ou un grand-parent à l'heure du dodo. Par ailleurs, de grands auteurs et de grands compositeurs en ont aussi écrit de célèbres: Brahms, Schubert, Mozart, Alfred de Musset, pour ne nommer que ceux-là.

D'autres chansons traditionnelles peuvent faire office de berceuses à cause de leur rythme caressant. Nous en avons choisi quelques-unes parmi les plus connues.

La plupart des chansons de ce recueil sont d'origine française. Nous en avons sélectionné venant d'autres pays et même en d'autres langues, car, partout à travers le monde, on a inventé de ces airs doux et tendres qui invitent au calme et au repos. Bien sûr, puisqu'il s'agit la plupart du temps de folklore, il existe d'autres versions qui sont aussi valables que celles retenues ici.

Je dédie ce livre aux parents et aux grands-parents d'aujourd'hui, espérant qu'à travers ces chansons ils pourront transmettre aux enfants de leur entourage affection et réconfort.

Henriette Major

Pour
les tout-petits

Dodo, l'enfant do

Do - do, l'en-fant do, L'en-fant dor - mi - ra bien vi - te.

Do - do, l'en-fant do, L'en - fant dor - mi - ra bien - tôt.

Dodo, l'enfant do,
L'enfant dormira bien vite.
Dodo, l'enfant do,
L'enfant dormira bientôt.

bis

Fais dodo, Colas, mon p'tit frère

Fais do - do, Co - las, mon p'tit frè - re, Fais do - do, T'au - ras du lo - lo. Ma -

man est en haut, Qui fait du gâ - teau, Pa - pa est en bas, Qui fait du cho - co - lat.

Refrain

Fais dodo,

Colas, mon p'tit frère,

Fais dodo,

T'auras du lolo.

Maman est en haut,
Qui fait du gâteau,
Papa est en bas,
Qui fait du chocolat.

Si tu es mignon,
T'auras des bonbons,
Si tu ne dors pas,
Tu n'en auras pas.

C'est la poulette grise

C'est la pou-let-te gri-se Qui pond dans l'é-gli-se. Elle va pondre un

beau pe-tit co-co Pour l'en-fant qui va faire do-di-che. Elle va pondre un

beau pe-tit co-co Pour l'en-fant qui va faire do-do. Do-di-che, do-do.

C'est la poulette grise
Qui pond dans l'église.

Refrain

Elle va pondre un beau petit coco
Pour l'enfant qui va faire dodiche.
Elle va pondre un beau petit coco
Pour l'enfant qui va faire dodo.
Dodiche, dodo.

C'est la poulette brune
Qui pond dans la lune.

C'est la poulette noire
Qui pond dans l'armoire.

C'est la poulette blanche
Qui pond dans la grange.

17

Mon petit Pierrot

Fais do - do, mon pe - tit Pier - rot, T'ap - pren - drai à fi - ler la lai - ne.

Fais do - do, mon pe - tit Pier - rot, T'ap - pren - drai à faire des sa - bots.

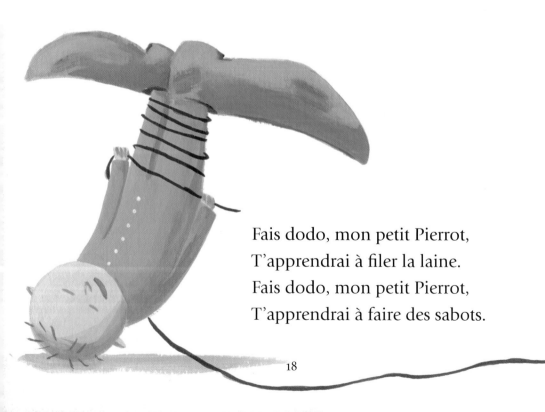

Fais dodo, mon petit Pierrot,
T'apprendrai à filer la laine.
Fais dodo, mon petit Pierrot,
T'apprendrai à faire des sabots.

Fais dodo, mon petit Pierrot,
Nous irons cueillir des cerises.
Fais dodo, mon petit Pierrot,
Nous irons couper les roseaux.

Il s'endort, le petit Pierrot,
Dans son blanc berceau de dentelles.
Il s'endort, le petit Pierrot,
Pas de bruit, fermons les rideaux.

Dodo, le petit

Le bé - bé dit Le bé - bé do Le bé-bé me dit Qu'il

al - lait dor - mir Qu'il al - lait dor - mir. Do - do Le pe -

tit pe - tit pe - tit Puis - que son pa-pa Sa ma-man l'ont dit.

Le bébé dit
Le bébé do
Le bébé me dit
Qu'il allait dormir
Qu'il allait dormir.   *bis*
Dodo
Le petit petit petit
Puisque son papa
Sa maman l'ont dit.

Dodo m'amour

Do - do m'a - mour Sur un cous - sin de ve - lours. Dor - mez tant que vous vou - lez, Ma - man vien - dra vous ber - cer. Do - do m'a - mour.

Dodo m'amour
Sur un coussin de velours.
Dormez tant que vous voulez, } *bis*
Maman viendra vous bercer.
Dodo m'amour.

Un petit grain d'or

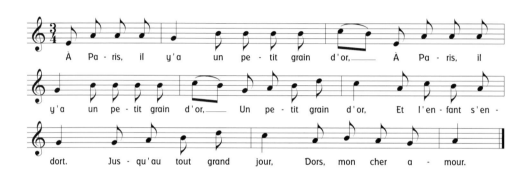

À Pa - ris, il y'a un pe - tit grain d'or,___ À Pa - ris, il

y'a un pe - tit grain d'or,___ Un pe - tit grain d'or, Et l'en - fant s'en -

dort. Jus - qu'au tout grand jour, Dors, mon cher a - mour.

À Paris, il y a un petit grain d'or, (*bis*)
Un petit grain d'or,
Et l'enfant s'endort.
Jusqu'au tout grand jour,
Dors, mon cher amour.

À Paris, il y a *deux* petits grains d'or, (*bis*)
Deux petits grains d'or,
Et l'enfant s'endort.
Jusqu'au tout grand jour,
Dors, mon cher amour.

À Paris, il y a *trois* petits grains d'or, (*bis*)
Trois petits grains d'or,
Et l'enfant s'endort.
Jusqu'au tout grand jour,
Dors, mon cher amour.

(Et quatre, cinq, six… jusqu'à ce que l'enfant s'endorme.)

Ah ! vous dirai-je, maman

Ah! vous di - rai - je, ma-man, Ce qui cau-se mon tour-ment! Pa-pa veut que je rai-son-ne

Comme un - e gran - de per-son-ne; Moi, je dis que les bon-bons Va-lent mieux que la rai-son.

Ah ! vous dirai-je, maman,
Ce qui cause mon tourment !
Papa veut que je raisonne
Comme une grande personne ;
Moi, je dis que les bonbons
Valent mieux que la raison.

27

Ah! vous dirai-je, papa,
La cause de mes tracas!
Maman veut que j'aille au lit
Quand ce n'est mêm' pas la nuit;
Moi, je dis que les enfants
Devraient veiller comm' les grands.

Ah! vous dirai-je, mamie,
Ce qui cause mon souci!
Je dois aller à l'école
Au lieu d'faire des cabrioles.
Je n'aime pas les leçons,
J'aim' mieux la télévision.

Ah! vous dirai-je, voisin,
Ce qui cause mon chagrin!
Mes parents sont trop sévères
Avec moi et mon p'tit frère.
Je rêv' de la balançoire
Pendant que j'fais mes devoirs.

Petites berceuses
de grands auteurs

Berceuse de Brahms

Bonne nuit, cher trésor,
Le jour s'achève encor.
C'est le temps de dormir,
Dans mes bras, viens te blottir.
Je fredonne pour toi,
Mon chant te bercera.
Je fredonne pour toi,
Mon chant te bercera.

Bonne nuit, mon enfant,
Dans ton petit lit blanc.
Fais un rêve merveilleux
Quand tu fermeras les yeux.
Quand le jour reviendra,
Je serai près de toi.
Quand le jour reviendra,
Je serai près de toi.

Berceuse de Schubert

Dor - mez, dor - mez, pe - tit an - ge ro - se, Dor - mez, ber - cé par ma dou - ce - main.

Oui, c'est l'heu - re où tout re - po - se; Dor - mez, dor - mez et jus - qu'à - de - main.

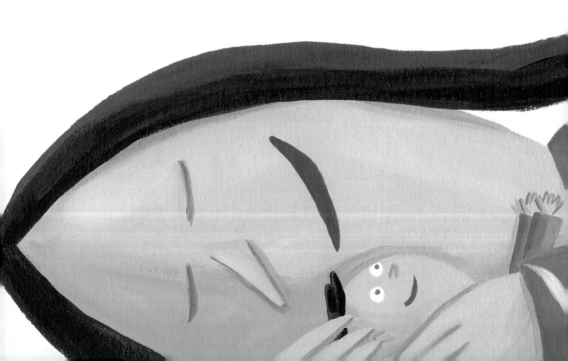

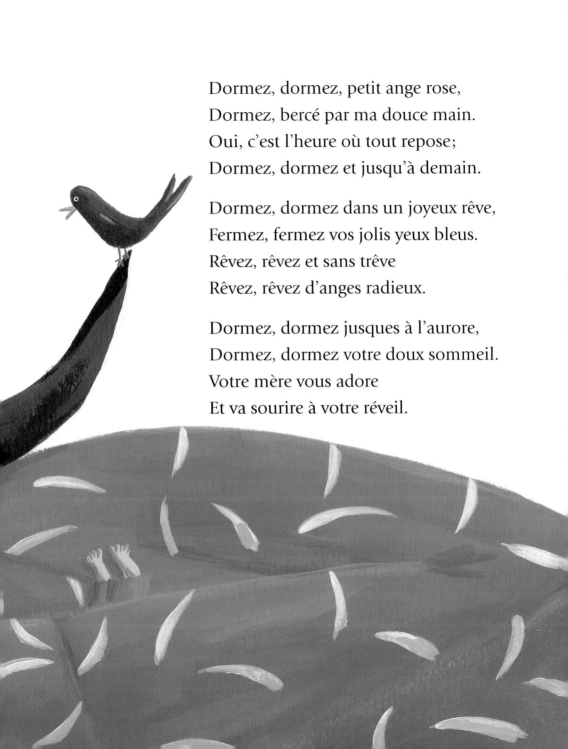

Dormez, dormez, petit ange rose,
Dormez, bercé par ma douce main.
Oui, c'est l'heure où tout repose;
Dormez, dormez et jusqu'à demain.

Dormez, dormez dans un joyeux rêve,
Fermez, fermez vos jolis yeux bleus.
Rêvez, rêvez et sans trêve
Rêvez, rêvez d'anges radieux.

Dormez, dormez jusques à l'aurore,
Dormez, dormez votre doux sommeil.
Votre mère vous adore
Et va sourire à votre réveil.

Berceuse de Mozart

Mon bel an - ge va dor - mir; Dans son nid, l'oi - seau va se blot - tir. Et la rose

et le sou - ci Là - bas dor - mi - ront aus - si. La lu - ne qui brille aux

cieux Voit si tu fer - mes les yeux. La bri - se chante au de - hors.

Dors, mon pe - tit prin - ce, dors. Ah! dors! mon pe - tit prin - ce, dors.

Mon bel ange va dormir;
Dans son nid, l'oiseau va se blottir.
Et la rose et le souci
Là-bas dormiront aussi.

La lune qui brille aux cieux
Voit si tu fermes les yeux.
La brise chante au dehors.
Dors, mon petit prince, dors.
Ah! dors! mon petit prince, dors.

Mon ange a-t-il un désir?
Tout pour lui n'est que joie et plaisir!
De jouets il peut changer!
Il a moutons et berger!

Il a chevaux et soldats!
S'il dort et ne pleure pas,
Il aura d'autres trésors!
Dors, mon petit prince, dors.
Ah! dors! mon petit prince, dors.

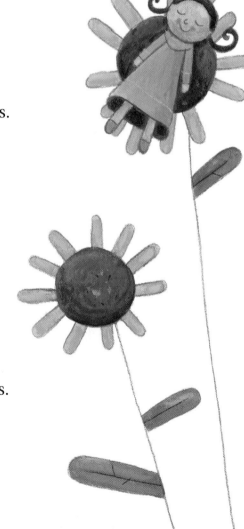

Mon petit prince au réveil
Recevra les présents du soleil,
Qui seront de beaux habits
Brodés d'or et de rubis!

La lune d'un fil d'argent,
Avec un reflet changeant,
En aura cousu les bords!
Dors, mon petit prince, dors.
Ah! dors! mon petit prince, dors.

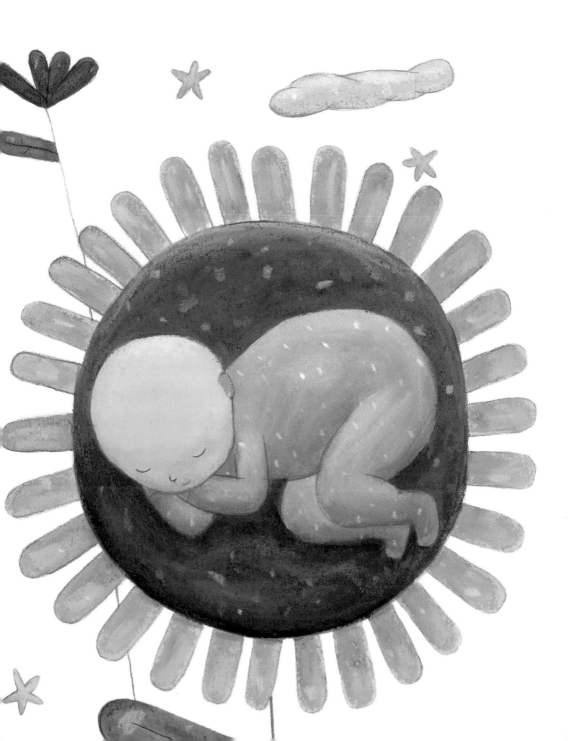

Ballade à la lune

C'é - tait dans la nuit bru - ne, Sur le clo - cher jau - ni, La lu - ne, la lu - ne, Comme un point sur un i.

C'était dans la nuit brune,
Sur le clocher jauni,
La lune, la lune,
Comme un point sur un i.

Lune, quel esprit sombre
Promène au bout d'un fil,
Dans l'ombre, dans l'ombre,
Ta face et ton profil ?

N'es-tu rien qu'une boule,
Qu'un grand faucheux bien gras
Qui roule, qui roule,
Sans pattes et sans bras ?

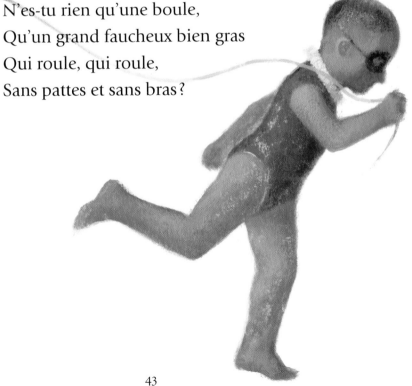

Est-ce un ver qui te ronge
Quand ton disque noirci
S'allonge, s'allonge,
En croissant rétréci ?

Car tu vins, pâle et morne,
Coller sur mes carreaux
Ta corne, ta corne,
À travers mes barreaux.

Je viens voir à la brune,
Sur le clocher jauni,
La lune, la lune,
Comme un point sur un i.

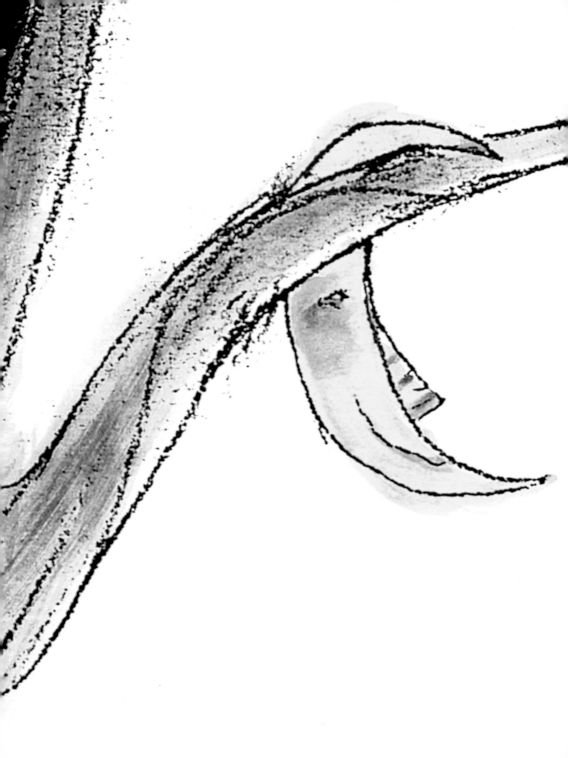

Berceuses d'ailleurs

Rock-a-bye, baby

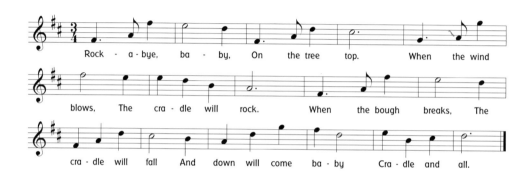

Rock - a - bye, ba - by, On the tree top. When the wind blows, The cra - dle will rock. When the bough breaks, The cra - dle will fall And down will come ba - by Cra - dle and all.

Rock-a-bye, baby,
On the tree top.
When the wind blows,
The cradle will rock.
When the bough breaks,
The cradle will fall
And down will come baby
Cradle and all.

Daddy is drowsing
Cosy and fair;
Mother sits near
In her rocking chair.
Forward and back,
The cradle she swings
And though baby sleeps
He hears what she sings.

Version française

Berce-toi, bébé
Au sommet de l'arbre.
Quand le vent soufflera,
Il bougera ton berceau.
Quand la branche brisera
Le berceau tombera
Et aussi le bébé
Toujours dans son berceau.

Papa somnole,
Il est bien au chaud;
Maman est tout près
Dans sa chaise berçante.
D'avant en arrière,
Elle balance le berceau
Et même si bébé dort
Il entend sa chanson.

Berceuse ojibwé

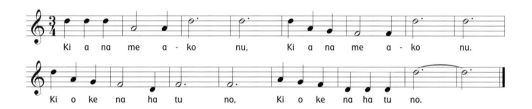

Ki a na me a - ko nu, Ki a na me a - ko nu.

Ki o ke na ha tu no, Ki o ke na ha tu no.

Ki a na me ako nu,
Ki a na me ako nu.
Ki o ke na ha tu no,
Ki o ke na ha tu no.
} *bis*

Traduction

Ne pleure pas…
Ne pleure plus mon petit
Sèche tes larmes
Écoute… le vent dans les pins.

Toutouic

Berceuse bretonne

Tou - tou - ic, lon la, ma bel - le; Tou - tou - ic— lon la. Le père— est loin,— la mère— i - ci, Qui va— ber - çant— l'en - fant— ché - ri.

Refrain

Toutouic, lon la, ma belle;
Toutouic lon la.

Le père est loin, la mère ici,
Qui va berçant l'enfant chéri.

Jadis elle a pleuré souvent;
Mais, aujourd'hui, sourit gaiement.

Oh! n'ouvre pas, mon angelet,
Ton aile d'or pour t'envoler.

Berceuse slave

Les é - toi - les s'al - lu - ment, L'oi - seau rentre en son nid.

Du sol monte u - ne bru - me, Car bien - tôt c'est la nuit.

Du sol monte u - ne bru - me, Car bien - tôt c'est la nuit.

56

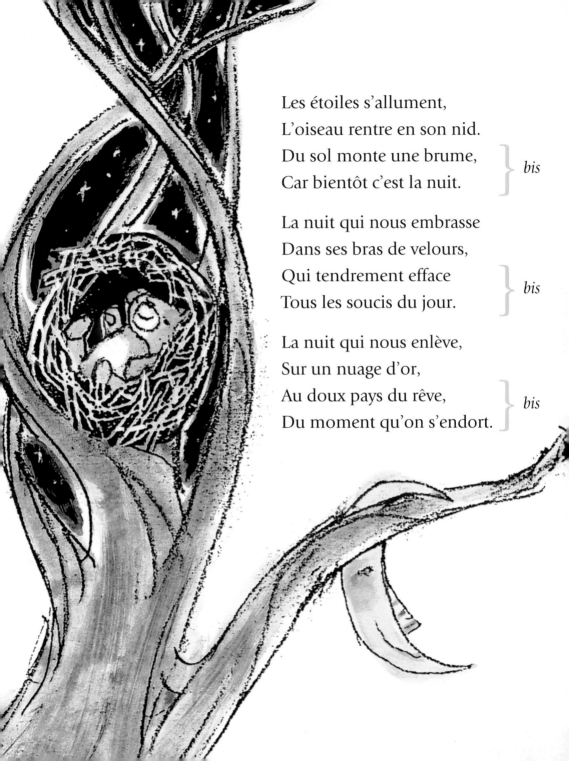

Les étoiles s'allument,
L'oiseau rentre en son nid.
Du sol monte une brume,
Car bientôt c'est la nuit. } *bis*

La nuit qui nous embrasse
Dans ses bras de velours,
Qui tendrement efface
Tous les soucis du jour. } *bis*

La nuit qui nous enlève,
Sur un nuage d'or,
Au doux pays du rêve,
Du moment qu'on s'endort. } *bis*

Dessous ma fenêtre

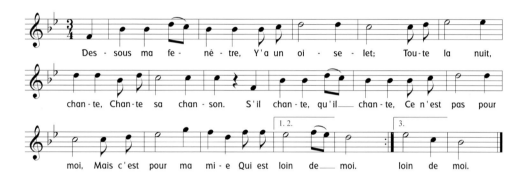

Des - sous ma fe - nê - tre, Y'a un oi - se - let; Tou-te la nuit,

chan - te, Chan-te sa chan - son. S'il chan - te, qu'il____ chan - te, Ce n'est pas pour

moi, Mais c'est pour ma mi - e Qui est loin de____ moi. loin de moi.

Dessous ma fenêtre,
Y'a un oiselet;
Toute la nuit, chante,
Chante sa chanson.

Refrain

**S'il chante, qu'il chante,
Ce n'est pas pour moi,
Mais c'est pour ma mie
Qui est loin de moi.**

59

Ces fières montagnes
À mes yeux navrés
Cachent, de ma mie,
Les traits bien-aimés.

Baissez-vous, montagnes!
Plaines, haussez-vous!
Que mes yeux s'en aillent
Où sont mes amours.

Version en langue provençale

Debat ma fennestro
A un aouselou,
Touto la ney canto
Canto pas per you.

Refrain
Se canto, que canto.
Canto pas per you,
Canto per ma mio
Qu'es allen de you.

Aquellos montagnos
Que tan hautos soun
M'empachon de veyre
Mas amours oun soun.

Bassas-bous montagnos
Plano aoussas-bous
Per que posqui bere
Mas amours oun soun.

Santa Lucia

Dans la nuit noi - re, La lu - ne bril - le; La mer scin - til - le

Comme un mi - roir._____ Ah! viens dans mon ba - teau Et par - tons

aus - si - tôt! San - ta ___ Lu - ci - a! San - ta Lu - ci - a!

Dans la nuit noire,
La lune brille;
La mer scintille
Comme un miroir.

Ah! viens dans mon bateau
Et partons aussitôt!
Santa Lucia! Santa Lucia!

Le vent caresse
Nos cheveux fous;
Moments si doux,
Tendres promesses.

Tous deux, dans mon bateau,
Voguons au fil de l'eau.
Santa Lucia! Santa Lucia!

La nuit s'achève
Et le voyage;
Sur le rivage
Se meurt le rêve.

Aborde, mon bateau;
Voici le jour nouveau.
Santa Lucia! Santa Lucia!

Version en langue italienne

Sul mare luccica
L'astro d'argento
Placida è l'onda
Prospero il vento.

Venite all'agile
Barchetta mia
Santa Lucia! Santa Lucia!

Con questo zeffiro
Così soave
Oh! com'è bello
Star sulla nave!

Su passeggeri
Venite via
Santa Lucia! Santa Lucia!

O dolce Napoli
O suol beato
Ove sorridere
Volle il creato.

Tu sei l'impero
Dell'armonia
Santa Lucia! Santa Lucia!

65

Histoires
pour s'endormir

Au clair de la lune

«Au clair de la lu - ne, Mon a - mi Pier - rot, Prê - te - moi ta plu - me Pour é - crire un mot. Ma chan - delle est mor - te, Je n'ai plus de feu; Ou - vre - moi ta por - te Pour l'a - mour de Dieu.»

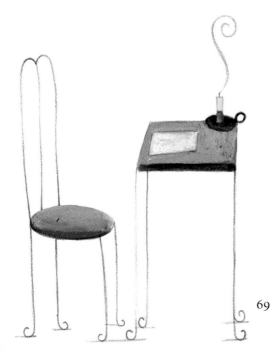

«Au clair de la lune,
Mon ami Pierrot,
Prête-moi ta plume
Pour écrire un mot.
Ma chandelle est morte,
Je n'ai plus de feu;
Ouvre-moi ta porte
Pour l'amour de Dieu.»

Au clair de la lune,
Pierrot répondit :
«Je n'ai pas de plume,
Je suis dans mon lit.
Va chez la voisine,
Je crois qu'elle y est,
Car, dans la cuisine,
On bat le briquet.»

Au clair de la lune,
On n'y voit qu'un peu.
On cherche la plume,
On cherche du feu.
En cherchant d'la sorte,
Je n'sais c'qu'on trouva,
Mais bientôt la porte
Sur eux se ferma.

71

Le grand Lustukru

En-ten-dez-vous dans la plai-ne Ce bruit ve-nant jus-qu'à nous? On di-rait un bruit de

chaî-ne Se traî-nant sur les cail-loux. C'est le grand Lus-tu-kru qui pas - se, Qui re-

passe et s'en i - ra, Em-por - tant dans sa be-sa-ce Tous les pe-tits

gars qui ne dor-ment pas! Lon lon la, lon lon la, Lon lon la, li-re la, lon la!

Entendez-vous dans la plaine
Ce bruit venant jusqu'à nous?
On dirait un bruit de chaîne
Se traînant sur les cailloux.
C'est le grand Lustukru qui passe,
Qui repasse et s'en ira,
Emportant dans sa besace
Tous les petits gars qui ne dorment pas !

Refrain
Lon lon la, lon lon la,
Lon lon la, li-re la, lon la!

Qui voulez-vous que je mette
Dans le sac au vilain vieux?
Mon Dorik et ma Jeannette
Viennent de fermer les yeux.
Allez-vous-en, méchant homme,
Quérir ailleurs vos repas!
Puisqu'ils font leur petit somme,
Non, vous n'aurez pas ces deux enfants-là!

L'oreiller d'une petite fille

Cher pe - tit o - reil - ler, doux et chaud sous ma tê - te, Plein de plu-

mes choi - sies; et blanc! et fait pour moi! Quand on a peur du vent,

des loups, de la tem - pê - te... Cher pe - tit o - reil - ler, que je dors

bien sur toi! Cher pe - tit o - reil - ler, que je dors bien sur toi!

Cher petit oreiller, doux et chaud sous ma tête,
Plein de plumes choisies ; et blanc ! et fait pour moi !
Quand on a peur du vent, des loups, de la tempête...
Cher petit oreiller, que je dors bien sur toi !
Cher petit oreiller, que je dors bien sur toi !

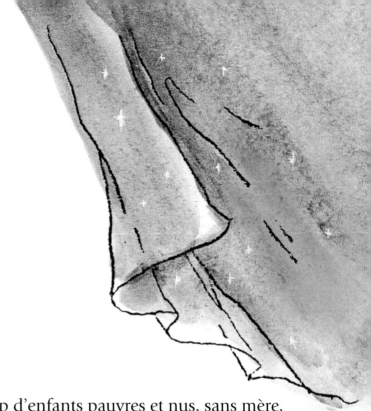

Beaucoup, beaucoup d'enfants pauvres et nus, sans mère,
Sans maison, n'ont jamais d'oreiller pour dormir;
Ils ont toujours sommeil. Ô destinée amère!
Maman, douce maman, cela me fait gémir!
Maman, douce maman, cela me fait gémir!

Je ne m'éveillerai qu'à la lueur première
De l'aube au rideau bleu; c'est si gai de la voir!
Je vais dire tout bas ma plus tendre prière:
Donne encore un baiser, douce maman! Bonsoir!
Donne encore un baiser, douce maman! Bonsoir!

D'où viens-tu, bergère ?

D'où viens-tu, ber-gè-re? D'où viens-tu? D'où viens-tu, ber-gè-re? D'où viens-tu?

Je viens de l'é-ta-ble, De m'y pro-me-ner; J'ai vu un mi-ra-cle Ce soir ar-ri-vé.

D'où viens-tu, bergère ?
D'où viens-tu ?   } bis

Je viens de l'étable,
De m'y promener ;
J'ai vu un miracle
Ce soir arrivé.

Qu'as-tu vu, bergère ?
Qu'as-tu vu ?   } bis

J'ai vu dans la crèche
Un petit enfant,
Sur la paille fraîche,
Mis bien tendrement.

Rien de plus, bergère ? } bis
Rien de plus ?

Saint' Marie, sa mère,
Sous un humble toit ;
Saint Joseph, son père,
Qui tremble de froid.

Rien de plus, bergère ? } bis
Rien de plus ?

Y'a le bœuf et l'âne
Qui sont par devant,
Avec leur haleine,
Réchauffent l'enfant.

Rien de plus, bergère ? } bis
Rien de plus ?

Y'a trois petits anges
Descendus du ciel,
Chantant les louanges } bis
Du Père éternel.

Entre le bœuf et l'âne gris

En-tre le bœuf et l'â-ne gris, Dort, dort, dort le pe-tit fils. Mille an-ges di-vins, Mil-le sé-ra-phins Vo-lent à l'en-tour De ce grand Dieu d'a-mour.

Entre le bœuf et l'âne gris,
Dort, dort, dort le petit fils.

Refrain
Mille anges divins,
Mille séraphins
Volent à l'entour
De ce grand Dieu d'amour.

Entre les pastoureaux jolis,
Dort, dort, dort le petit fils.

Entre les roses et les lys,
Dort, dort, dort le petit fils.

Entre les deux bras de Marie,
Dort, dort, dort le petit fils.

Les trois anges

Trois an-ges sont ve-nus ce soir M'ap-por-ter de bien bel-les cho-ses; L'un d'eux a-vait un en-cen-soir, L'autre a-vait un cha-peau de ro-ses. Et le troi-sième a-vait en main U-ne ro-be tou-te fleu-ri-e De per-les, d'or et de jas-min, Comme en a Ma-da-me Ma-ri-e! No-ël! No-ël! Nous ve-nons du ciel T'ap-por-ter ce que tu dé-si-res, Car le Bon Dieu au fond du ciel bleu Est cha-grin lors-que tu sou-pi-res!

Trois anges sont venus ce soir
M'apporter de bien belles choses;
L'un d'eux avait un encensoir,
L'autre avait un chapeau de roses.
Et le troisième avait en main
Une robe toute fleurie
De perles, d'or et de jasmin,
Comme en a Madame Marie!
Noël! Noël! Nous venons du ciel
T'apporter ce que tu désires,
Car le Bon Dieu au fond du ciel bleu
Est chagrin lorsque tu soupires!

Veux-tu le bel encensoir d'or,
Ou la rose éclose en couronne?
Veux-tu la robe ou bien encore
Un collier où l'argent fleuronne?
Veux-tu des fruits du Paradis
Ou du blé des célestes granges?
Ou comme les bergers, jadis,
Veux-tu voir Jésus dans ses langes?
Noël! Noël! Retournez au ciel,
Mes beaux anges, à l'instant même;
Dans le ciel bleu, demandez à Dieu
Le bonheur pour tous ceux que j'aime!

Chansons
de mer et d'eau

Dors, mon gars !

À côté de ta mère,
Fais ton petit dodo,
Sans savoir que ton père
S'en est allé sur l'eau !
La vague est en colère
Et murmure là-bas…
À côté de ta mère,
Fais dodo, mon p'tit gars !

Pour te bercer, je chante !
Fais bien vite dodo ;
Car, dans ma voix tremblante,
J'étouffe un long sanglot.
Quand la mer est méchante,
Mon cœur sonne le glas…
Mais il faut que je chante :
Fais dodo, mon p'tit gars !

Si la douleur m'agite,
Lorsque tu fais dodo,
C'est qu'un jour on se quitte :
Tu seras matelot.
Sur la vague maudite,
Bien loin, tu t'en iras…
Ne grandis pas trop vite !
Fais dodo, mon p'tit gars !

À la claire fontaine

À la clai - re fon - tai - ne, M'en al - lant pro - me - ner,

J'ai trou - vé l'eau si bel - le Que je m'y suis bai - gné.

Il y'a long - temps que je t'ai - me, Ja - mais je ne t'ou - blie - rai!

À la claire fontaine,
M'en allant promener,
J'ai trouvé l'eau si belle
Que je m'y suis baigné.

Refrain
Il y a longtemps que je t'aime,
Jamais je ne t'oublierai!

94

Sous les feuilles d'un chêne,
Je me suis fait sécher;
Sur la plus haute branche,
Un rossignol chantait.

Chante, rossignol, chante,
Toi qui as le cœur gai;
Tu as le cœur à rire…
Moi, je l'ai à pleurer.

J'ai perdu mon amie
Sans l'avoir mérité,
Pour un bouquet de roses
Que je lui refusai.

Le petit mousse

Sur le grand mât d'u-ne cor-vet-te, Un pe-tit mous-se noir chan-tait; Di-sant,

d'u - ne voix in-quiè-te, Ces mots que la brise em-por-tait: «Ah! qui me

ren - dra le sou-ri-re De ma mère m'ou-vrant ses bras?» Fi-lez, fi-

lez, ô mon na-vi-re, Car le bon-heur m'at-tend là-bas. Fi-lez, fi-

lez, ô mon na-vi-re, Car le bon-heur m'at-tend là-bas.

Sur le grand mât d'une corvette,
Un petit mousse noir chantait;
Disant, d'une voix inquiète,
Ces mots que la brise emportait:
«Ah! qui me rendra le sourire
De ma mère m'ouvrant ses bras?»

Filez, filez, ô mon navire,
Car le bonheur m'attend là-bas. } *bis*

Ainsi chantait le petit mousse
Sur le grand mât, au bruit des flots.
Et dans la nuit, sa voix si douce
Semblait monter comme un sanglot.
Soudain s'écrie le capitaine:
«Voici le port, mon petit gars!»

Tu vas revoir ta pauvre mère
Et le bonheur est dans ses bras. } *bis*

101

Il pleut, il pleut, bergère

Il pleut, il pleut, ber - gè - re, Ren-tre tes blancs mou - tons! Al-lons à ma chau-

miè - re, Ber-gè - re, vite al - lons! J'en-tends, sur le feuil - la - ge,

L'eau qui tombe à grand bruit. Voi-ci ve-nir l'o-ra - ge; Voi-ci l'é-clair qui luit.

Il pleut, il pleut, bergère,
Rentre tes blancs moutons !
Allons à ma chaumière,
Bergère, vite allons !
J'entends, sur le feuillage,
L'eau qui tombe à grand bruit.
Voici venir l'orage ;
Voici l'éclair qui luit.

Entends-tu le tonnerre ?
Il gronde en approchant.
Prends un abri, bergère,
À ma droite, en marchant.
Je vois notre cabane
Et, tiens ! Voici venir
Ma mère et ma sœur Anne
Qui vont l'étable ouvrir.

Bonsoir, bonsoir, ma mère,
Ma sœur Anne, bonsoir.
J'amène ma bergère
Près de vous pour ce soir.
Va te sécher, ma mie,
Auprès de nos tisons.
Sœur, fais-lui compagnie;
Entrez, petits moutons!

Partons, la mer est belle !

A - mis, par-tons sans bruit; La pè-che se-ra bon-ne. La lu - ne qui ray-

som - meil - ler en-

on - ne É - clai - re - ra la nuit. Il faut qu'a-vant l'au - ro - re Nous

co - re A - vant qu'il soit grand jour. Par - tons, la mer est bel - le! Em-

soy - ons de - re - tour, Pour tour, Gui - dons no-tre na-cel - le, Ra-

bar - quons-nous pê - cheurs!

mons a - vec ar - deur! Aux mâts, his-sons les voi - les, Le ciel est pur et

beau! Je vois bril - ler l'é - toi - le Qui gui - de les ma - te - lots!

Amis, partons sans bruit;
La pêche sera bonne.
La lune qui rayonne
Éclairera la nuit.
Il faut qu'avant l'aurore
Nous soyons de retour,
Pour sommeiller encore
Avant qu'il soit grand jour.

Refrain

Partons, la mer est belle!
Embarquons-nous pêcheurs!
Guidons notre nacelle,
Ramons avec ardeur!
Aux mâts, hissons les voiles,
Le ciel est pur et beau!
Je vois briller l'étoile
Qui guide les matelots!

Ainsi chantait mon père
Lorsqu'il quitta le port.
Il ne s'attendait guère
À y trouver la mort.
Par les vents, par l'orage,
Il fut surpris soudain;
Et d'un cruel naufrage,
Il subit le destin.

Je n'ai plus que ma mère
Qui ne possède rien.
Elle est dans la misère,
Je suis son seul soutien.
Ramons, ramons bien vite,
Je l'aperçois là-bas;
Je la vois qui m'invite
En me tendant les bras.

Berceuse aux étoiles

«La nuit, pau-vres or-phe-lins, Que fai-tes-vous dans la bru-me Lors-que les blonds ché-ru-bins Dor-ment dans leur lit de plu-mes?» Les pe-tits ont ré-pon-du: «Nous n'a-vons pas de for-tu-ne, No-tre ber-ceau fut ven-du. No-tre ma-man, c'est la lu-ne!» Pen-dant que les heu-reux, les ri-ches et les grands Re-po-sent dans la
au-tres les pa-rias, nous au-tres les er-rants, Nous
soie ou dans les fi-nes toi-les, Nous é-cou-tons chan ter la Ber-ceuse aux é-toi-les!

«La nuit, pauvres orphelins,
Que faites-vous dans la brume
Lorsque les blonds chérubins
Dorment dans leur lit de plumes?»
Les petits ont répondu :
«Nous n'avons pas de fortune,
Notre berceau fut vendu.
Notre maman, c'est la lune!»

Refrain

Pendant que les heureux, les riches et les grands
Reposent dans la soie ou dans les fines toiles,
Nous autres les parias, nous autres les errants,
Nous écoutons chanter la Berceuse aux étoiles!

« Dites, pauvres matelots,
Courageux pêcheurs d'Islande,
Regrettez-vous vos lits clos,
Tout là-bas sur la mer grande ? »
Les marins ont répondu :
« Avant que l'eau nous submerge,
Aucun lit ne nous est dû.
L'océan est notre auberge ! »

À propos des chansons*

Page 11 **Dodo, l'enfant do**

L'air de cette berceuse fut, à l'origine, un air de carillon, l'*Angelus*. Elle a été publiée pour la première fois en 1747. C'est l'une des berceuses les plus simples et aussi l'une des plus connues dans toute la francophonie.

Page 12 **Fais dodo, Colas, mon p'tit frère**

Cette berceuse date probablement du XVIIIe siècle. Elle est connue en France et au Canada. Au Québec, elle évoque l'époque des familles nombreuses. En la chantant, on peut remplacer «Colas» par le nom de l'enfant auquel on l'adresse.

Page 15 **C'est la poulette grise**

Très populaire au Québec, cette berceuse vient de l'ouest de la France. On peut remplacer « l'enfant» par le nom du petit pour lequel on chante.

---

* Sources: *Les plus belles chansons du temps passé*, Paris, Hachette, 1995; *Le livre des chansons de France*, vol. 1, 2 et 3, Paris, Gallimard, 1987; *Berceuse emporte-moi*, Ottawa, Éditions Pierre de lune, 1993; SOCAN; SODRAC.

Ces grands compositeurs ont tous écrit des airs de berceuse qui sont devenus célèbres. Les paroles de la berceuse de Brahms sont de Henriette Major, celles des berceuses de Schubert et de Mozart sont de Jules Barbier, auteur dramatique français (1825-1901). La berceuse qu'on attribue habituellement à Mozart pourrait être d'un autre musicien de son temps nommé Flies.

Les paroles de cette berceuse sont de l'écrivain français Alfred de Musset (1810-1857). Il est cependant impossible de retracer l'auteur de cet air.

116

Page 48 **Rock-a-bye, baby**

La plus populaire des berceuses américaines. Publiée à Boston en 1887 par Effie I. Crockett, elle est basée sur une comptine de «Mother Goose», narratrice imaginaire de petits poèmes farfelus.

Page 53 **Berceuse ojibwé**

Cette berceuse amérindienne invite l'enfant à s'apaiser en écoutant le bruit du vent.

Page 55 **Toutouic**

Cette berceuse traditionnelle est d'origine bretonne. *Toutouic* veut dire «dodo» en langue celtique bretonne.

Page 56 **Berceuse slave**

L'origine de l'air de cette berceuse est inconnue. Henriette Major en a rédigé les paroles.

Page 59 **Dessous ma fenêtre**

Cette chanson est originaire du sud de la France. Elle est en langue d'oc (parler provençal). Sa mélodie très douce l'apparente à une berceuse. Elle peut se chanter en canon. En version originale, elle s'intitule «Se canto, que canto».

Page 62 **Santa Lucia**

Cette barcarolle italienne est plus précisément d'origine napolitaine. La version la plus connue reproduite dans ces pages date des années 1850. Santa Lucia (Sainte-Lucie) est la patronne des marins de Naples. (Les paroles françaises sont de Henriette Major.)

Page 69   **Au clair de la lune**

Cette chanson était à la mode à Paris vers la fin du XIXe siècle. Pierrot est un personnage du célèbre théâtre italien, la commedia dell'arte. On attribue la musique de cette chanson à Lully, musicien de la cour de Louis XIV.

Page 72   **Le grand Lustukru**

Les paroles et la musique de cette chanson sont de Théodore Botrel, chansonnier français (1868-1925). Le grand Lustukru est un personnage mythique du même type que le «Bonhomme Sept Heures» ou le «Marchand de sable».

119

CHANSONS DE MER ET D'EAU

Page 91 **Dors, mon gars !**

Les paroles et la musique de cette berceuse sont de Théodore Botrel, chansonnier français (1868-1925).

Page 94 **À la claire fontaine**

Originaire du Poitou, cette chanson datant du XVIIIe siècle est très connue en France et au Canada. Elle a servi de chant de ralliement aux Patriotes du Québec lors de la rébellion de 1837.

Page 98 **Le petit mousse**

Cette chanson était chantée par les matelots. Elle date du XIXe siècle. Sur les navires à voiles, les petits mousses, des enfants, avaient une vie très dure. Comme ils étaient petits et agiles, c'étaient eux qui devaient monter dans les cordages jusqu'au grand mât.

Index

*par ordre alphabétique
des premiers mots ou autre
titre connu*

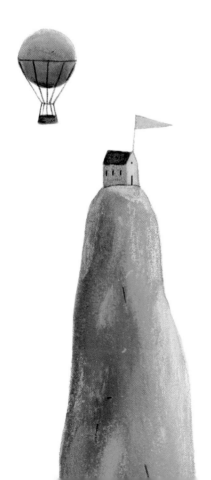

A

B

Table des matières

Cet ouvrage a été achevé d'imprimer en juin 2002
sur les presses de l'imprimerie Interglobe (Canada)